D1445713

Título original: *La nouvelle imagerie des enfants*
© 1987, Éditions Fleurus, París
© Versión española, 1998, Fleurus
Depósito legal: GI-1024-2000
Distribución: Panini España, S.A.
ISBN: 2-215-06610-5
1.ª edición, marzo 1998
2.ª edición, setiembre 2001
 Printed in France
by *Partenaires-Livres*®
(JL 07-01)

Diccionario por imágenes Español Inglés

Creación y textos:
Émilie Beaumont

Ilustraciones:
C. Hus-David - Y. Barbetti - Héliadore - C. Galinet - B. Le Sourd
M. Loppé - F. Merlier - G. Monjaret - A. Riquier - C. Siegel
Agencias: Inklink - M.I.A., Betti Ferrerro
Ilustraciones de doble página:
M.A. Didierjean - B. Le Sourd

Traducción:
Addenda

Revisión:
Pedro Arigita

¿Con qué podemos untar el pan para que sepa mejor?

¿Qué obtenemos si ponemos a cocer frutas y azúcar?

butter

mantequilla

sugar

azúcar

a jar of jam

un tarro de mermelada

chocolate
chocolate

ground coffee

café molido

¿Qué tiene buen sabor pero daña los dientes si comemos demasiado?

¿Qué podemos comer con una cucharilla y que es dulce?

cream cheese

un yogur
a yogurt

un petit-suisse

an egg · un huevo

una huevera
an egg cup

golosinas

lollipops

sweets · caramelos

milk

leche

¿Qué encontramos
en la charcutería?

¿Qué encontramos
en la panadería?

paté

a pâté

salami

un salchichón

bread

pan

ham

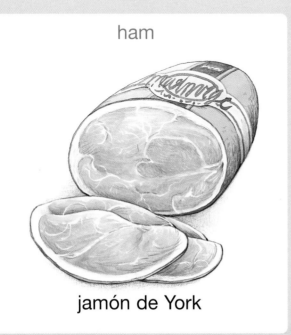

jamón de York

pasta

pasta

8

¿Qué se puede preparar con patatas?

¿Qué encontramos en la orilla del mar?

mashed potatoes

puré

a fish

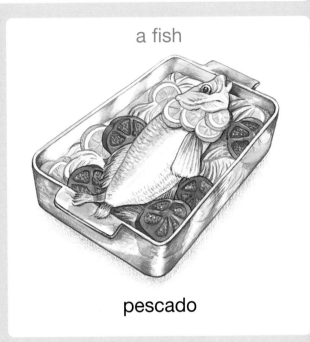

pescado

chips

a hamburger

una hamburguesa

patatas fritas

una ostra

an oyster

a mussel

un mejillón

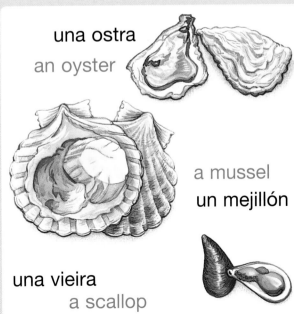

una vieira

a scallop

un asado de ternera

a roast beef

a chicken

un pollo

cheese

quesos

a sandwich

un bocadillo

bread and butter

una rebanada

pancakes

crepes

un barquillo

a waffle

¿Qué es frío, delicioso y dulce?

¿Qué pastel suele hacerse con frutas?

ice cream

helados

biscuits

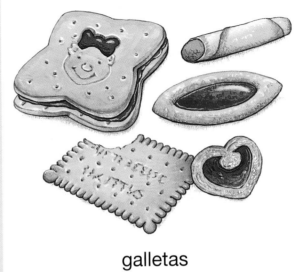

galletas

cereals

cereales

a tart

una tarta

¿Qué fruto da la viña
y es dulce?

¿Qué frutas se pueden
exprimir para hacer zumo?

a cake

un pastel

a lemon

un limón

an orange

una naranja

grapes

un racimo de uvas

¿Cuál es el fruto del peral? ¿Y del melocotonero?

¿Con el jugo de qué fruta se hace la sidra?

a pear

una pera

a peach

un melocotón

an apple

una manzana

plums

ciruelas

13

¿Qué fruta da
el mandarino?

¿Cuál es la fruta que
no crece en un árbol?

an apricot

un albaricoque

a melon

un melón

a tangerine

una mandarina

a grapefruit

un pomelo

14

¿Qué frutos crecen en los países tropicales?

¿Qué frutas silvestres se pueden comer?

a pineapple

una piña

blackberries

moras

a banana

un plátano

raspberries

frambuesas

15

¿Qué frutas de color rojo tienen hueso?

¿Cuál es la fruta favorita de las ardillas?

cherries

cerezas

red currants

grosellas

a strawberry

una fresa

hazelnuts

avellanas

¿Qué fruta tiene una cáscara muy dura?

¿Qué verdura se puede comer con los dedos?

a walnut

una nuez

an asparagus

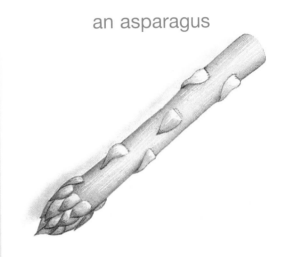

un espárrago

olives

aceitunas

a leek

un puerro

¿Qué hortaliza es
de color morado?

¿Qué verduras cortamos
en rodajas para comerlas?

a courgette

un calabacín

a pepper

un pimiento rojo

an aubergine

una berenjena

a cucumber

un pepino

¿Con qué hortalizas se hacen las patatas fritas?

¿De qué hortaliza se comen las hojas?

a potato

una patata

a tomato

un tomate

a carrot

una zanahoria

an artichoke

una alcachofa

¿Qué cereal tiene granos amarillos muy apretados?

¿Qué hortaliza se envasa en vinagre?

an ear of corn

una mazorca de maíz

garden peas

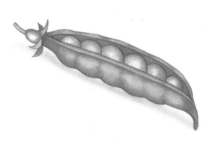

una vaina de guisantes

a pumpkin

una calabaza

a gherkin

un pepinillo

¿Qué verduras tienen grandes hojas verdes?

¿Qué verdura es pequeña, rosa y blanca?

a cauliflower

una coliflor

a lettuce

una lechuga

a cabbage

un repollo

a radish

un rábano

21

En el huerto

Vamos a divertirnos buscando el mayor número de productos posible.

¿Qué verdura nos hace llorar al pelarla?

¿Qué crece en un criadero o en un bosque?

an onion

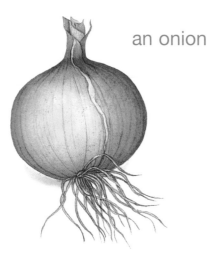

una cebolla

herbs

briznas de finas hierbas

garlic

un ajo

mushrooms

setas

24

¿Por dónde resulta
divertido deslizarse?

¿Puedes señalar
el columpio y las anillas?

a house

una casa

a swing set

columpios

a slide

un tobogán

a bench

un banco de madera

¿Qué podemos utilizar para coger objetos elevados?

¿En qué zona de la cocina guardamos la vajilla?

a staircase

una escalera

a cupboard

una alacena

a ladder

una escalera de mano

a stepladder

una escalera de tijera

¿Dónde pueden conservarse frescos los alimentos?

¿Dónde lavaremos la ropa de toda la familia?

vacuum cleaner

un aspirador

a washing machine

una lavadora

a fridge

un frigorífico

a dishwasher

un lavavajillas

¿Dónde cocinamos los pasteles y la carne?

¿Dónde se prepara el café para el desayuno?

a cooker

an oven   un horno

una cocina de gas

a food processor

un robot de cocina

a sink

un fregadero

an electric coffee maker

una cafetera eléctrica

¿Qué aparato se utiliza para hacer patatas fritas?

¿Dónde se fríe el bisté?

a toaster

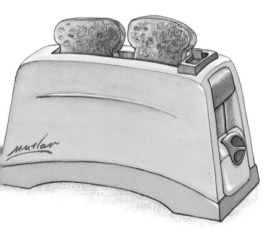

una tostadora de pan

saucepans

un juego de cacerolas

a deep-fryer

una freidora

a frying pan

una sartén

¿Con qué damos una forma bonita a un pastel?

¿Dónde se calientan los alimentos congelados?

a casserole

una olla

a pressure cooker

una olla exprés

cake tins

moldes de pastelería

a microwave oven

un horno microondas

una copa

a glass

plate

un plato

una cucharilla

a teaspoon

a tablespoon

una cuchara sopera

un tenedor

a fork

a knife

un cuchillo

una salsera

a sauceboat

a serving dish

un plato llano

¿Dónde se sirve la sopa
y con qué?

¿En qué recipiente
tomamos el desayuno?

a salad bowl

una ensaladera

un bol

a bowl

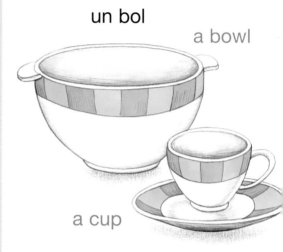

a cup

una taza

a ladle   un cucharón

a soup tureen
una sopera

a teapot

una tetera

¿Dónde se lleva
la compra?

¿En qué recipientes se
ponen la sal y la pimienta?

a basket

una cesta

bottles

botellas

un escurridor   a colander

a skimmer

una espumadera

a pepper mill

a salt cellar

un molinillo
de pimienta   un salero

33

En la cocina

Vamos a divertirnos buscando el mayor número de objetos posible.

¿Con qué abrimos las botellas?

¿Con qué se enciende el gas?

un embudo
a funnel

a ball of string
un rollo de bramante

un tapón de corcho

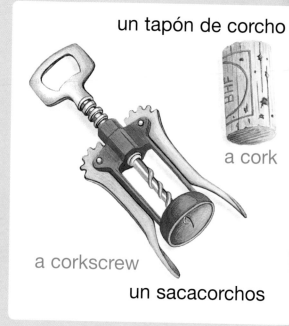

a cork

a corkscrew
un sacacorchos

a bottle opener

un abridor

a gas lighter
un encendedor

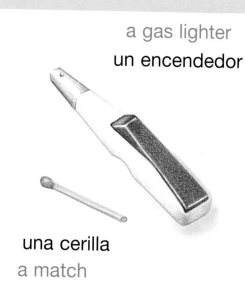

una cerilla
a match

¿Qué hace falta para planchar la ropa?

¿Dónde se tira la basura?

an iron

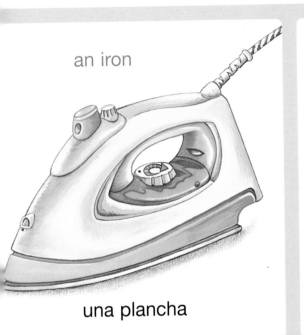

una plancha

a broom

a dustpan

un recogedor

una escoba

an ironing board

una tabla de planchar

a dustbin

un cubo de basura

¿Qué ponemos en la mesa para que quede bonita?

¿Qué utilizamos para ordenar las botellas?

napkins
servilletas

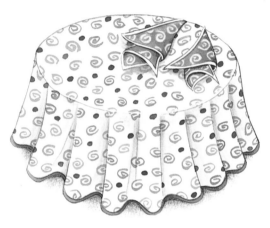

a tablecloth   un mantel

un cubo

a bucket

a basin

un barreño

un agarrador
an oven cloth

a tea towel
un paño de cocina

a bottle rack

un botellero

¿Qué aparato señala la hora?

¿Qué mueble para sentarnos tiene respaldo?

a clock

un reloj de pared

a chair

una silla

a lamp

a light bulb

una lámpara   una bombilla

a stool

un taburete

¿En qué mueble ordenamos los libros?

¿Dónde nos sentamos para descansar?

a table

una mesa

an armchair

un sillón

a bookshelf

una biblioteca

a sofa

un sofá

¿Qué aparato sirve para calentar la casa?

¿Dónde ordenamos los juguetes?

a radiator

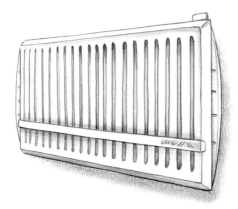

un radiador

a chest of drawers

una cómoda

a rug

una alfombra

a toy chest

un baúl para los juguetes

¿Qué hay que poner en la cama para dormir bien?

¿En qué mueble se guarda la ropa?

a bed

una almohada

a pillow

un edredón

a duvet

una cama

a wardrobe

un armario ropero

a bedside table

una mesita de noche

a desk

un escritorio

¿Dónde sentamos al bebé para que haga pipí?

¿Qué utilizamos para hacernos una raya recta?

una percha · a hanger

a clothes brush

un cepillo de la ropa

un guante de baño

a flannel

a bath towel

una toalla de baño

a potty

un orinal

a hairbrush

un cepillo del pelo

a comb

un peine

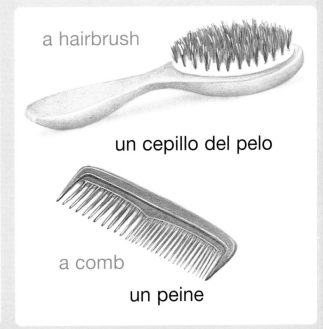

¿Con qué nos lavamos
los dientes
cada mañana?

¿Con qué nos lavamos
las manos
antes de comer?

a nailbrush
un cepillo de uñas

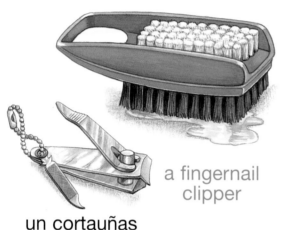

a fingernail
clipper

un cortauñas

liquid soap

jabón líquido

a toothbrush
un cepillo de dientes

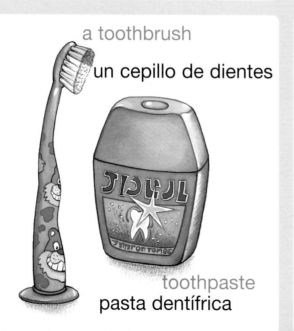

toothpaste
pasta dentífrica

hair slides

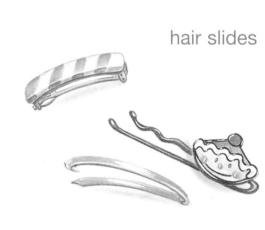

pasadores de pelo

¿Qué produce mucha espuma cuando nos lavamos el pelo?

¿Con qué nos tomamos la temperatura cuando estamos enfermos?

shampoo

champú

a medical thermometer

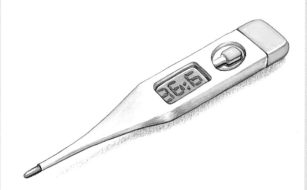

un termómetro médico

an electric shaver

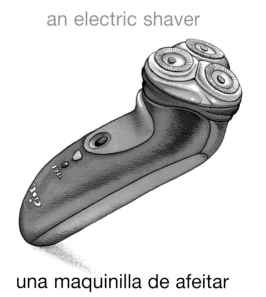

una maquinilla de afeitar

a hairdrier

un secador del cabello

¿Dónde guardamos los productos de aseo?

¿Dónde nos bañamos tumbados?

a bathroom cabinet

un armario de baño

a washbasin

un lavabo

a clothes drier

un tendedero plegable

a bathtub

una bañera

¿Qué encontramos en
un cuarto de baño?

¿Con qué aparato
nos pesamos?

a toilet

un inodoro

a medicine cabinet

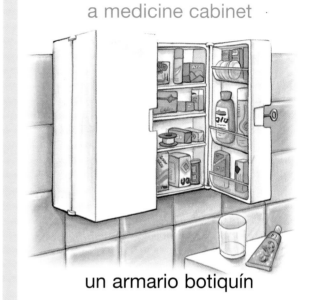

un armario botiquín

a shower

una ducha

a scale

una báscula de baño

En el dormitorio

Vamos a divertirnos buscando el mayor número de cosas posible.

49

¿Con qué decoramos las ventanas?

¿Qué hay que ponerse cuando no vemos bien?

curtains

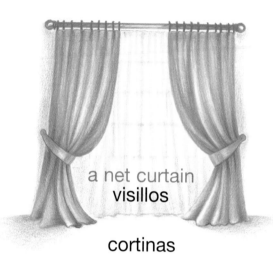

a net curtain
visillos

cortinas

an umbrella

un paraguas

a hanging light

una lámpara de techo

pairs of glasses

unas gafas

¿Dónde se leen historias bonitas?

¿Dónde introducimos la carta antes de enviarla?

a newspaper

un periódico

a torch

una linterna

a book

un libro

an envelope

un sobre

¿Con qué se abren
y cierran las puertas?

¿Qué aparato nos permite
hablar con alguien lejano?

keys

llaves

a painting

un cuadro

a vase

un jarrón con flores

a telephone
un teléfono fijo

a cell phone

un teléfono móv

¿Qué nos despierta con música por la mañana?

¿Dónde metemos la ropa cuando salimos de viaje?

a clock radio

un radio despertador

an aquarium

una pecera

a bird cage

una jaula

a suitcase

una maleta

¿Con qué se construyen torres y castillos?

¿Cuál es el juguete preferido de las niñas?

a game

un juego de caballitos

a doll

una muñeca

bricks

cubos de construcción

a stuffed animal

un muñeco de peluche

54

¿Dónde nos montamos para jugar a vaqueros?

¿En qué juguete aprendemos a pedalear?

a rocking horse

un balancín

a tricycle

un triciclo

a scooter

un patinete

puppets

marionetas

¿Con qué derribamos los bolos?

¿Qué nos ponemos en los pies para ir rápido?

rollerblades

patines en línea

skittles

una bola
a ball

un juego
de bolos

marbles

canicas

a dartboard

una diana y dardos

¿Qué utilizamos para dar de comer a la muñeca?

¿Qué juego tiene una imagen cortada en piezas?

a ball

un balón

a puzzle

un puzzle

a doll's dinner service

cacharritos

a picture book

un cuento ilustrado

57

¿Dónde encontramos corazones, rombos, tréboles y picas?

¿Qué hacemos volar en el cielo cuando hace viento?

playing cards

una baraja de póquer

a bucket

un cubo

a spade

una pala

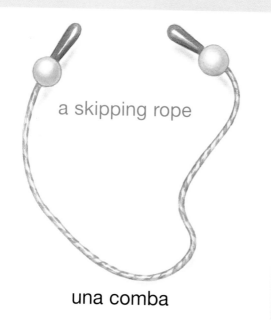

a skipping rope

una comba

a kite

una cometa

¿Dónde ponemos los cuadernos, los libros y el estuche del colegio?

¿Con qué podemos colorear bonitos dibujos?

a satchel

una cartera

a pencil

un lápiz

a pencil case

un estuche

colored pencils

lápices de colores

¿Qué sirve para medir y trazar rectas?

¿Qué sirve para borrar un dibujo en el papel?

a felt-tip pen

un rotulador

a rubber

una goma de borrar

a ruler

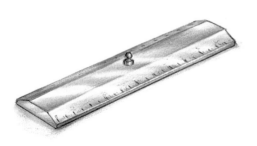

una regla

a pencil sharpener

un sacapuntas

¿Con qué escribimos
en la pizarra?

¿Qué necesitamos
para colorear un dibujo?

a slate

una pizarra

a notebook

un cuaderno

una esponja
a sponge

tiza
a piece
of chalk

a paintbox

a paintbrush
un pincel

una caja de acuarelas

¿Qué herramienta aumenta los objetos?

¿Con qué se pasea a los niños pequeños?

a magnifying glass

una lupa

a playpen

un parque

a fountain pen

una pluma estilográfica

a child's pushchai

un cochecito de paseo

¿Dónde duermen los bebés?

¿Dónde sentamos al bebé para ir en coche?

a pram

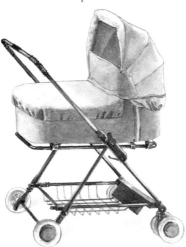

un cochecito

a cot

una cuna

a carrycot

un moisés

a baby chair

una sillita

¿Con qué damos la leche al bebé?

¿Qué se le pone al bebé para que esté sequito?

a mobile

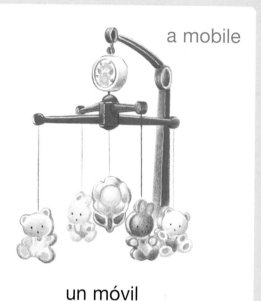

un móvil

a nappy

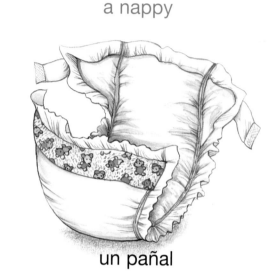

un pañal

a feeding bottle

un biberón

a bodysuit

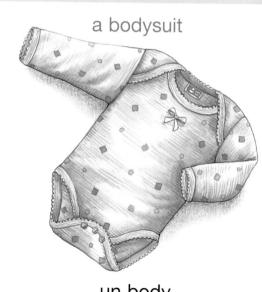

un body

¿Qué le ponemos al bebé para que no se manche?

¿Qué se ponen las niñas para ir a dormir?

a bib

un babero

bootees

patucos

baby pyjamas

un pijama de bebé

a nightdress

un camisón

¿Qué se ponen los niños para dormir?

¿Qué prenda nos ponemos al salir de la bañera?

a bathrobe

un albornoz

a dress

un vestido

pyjamas

un pijama

a pair of trousers

un pantalón

¿Qué se pone
un deportista?

¿Con qué nos abrigamos
en invierno?

a skirt

una falda

a coat

un abrigo

dungarees

un pichi

a track suit

un chándal

¿Qué nos ponemos por encima de la camisa cuando hace frío?

¿Qué nos pondremos cuando nieve para estar calentitos?

a jumper

un jersey

an anorak

un anorak

a cardigan

una chaqueta de punto

a windbreaker

una sudadera

Qué llevan las niñas debajo de la falda y los niños debajo del pantalón? ¿Qué nos ponemos para bañarnos en la piscina o en el mar?

panties

unas braguitas

shorts

pantalones de deporte

underpants

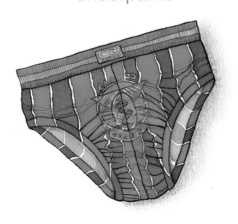

unos calzoncillos

a swimming suit

un traje de baño

¿Qué nos ponemos cuando llueve para no mojarnos?

¿Qué nos ponemos en los pies antes de calzarnos los zapatos?

a tee shirt

una camiseta de algodón

a raincoat

un impermeable

a shirt

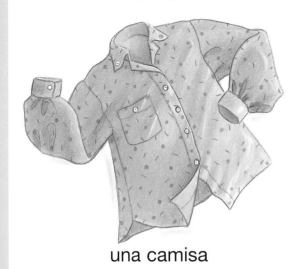

una camisa

socks

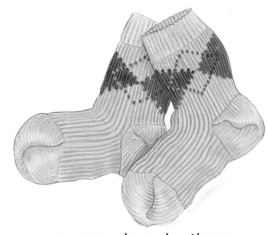

un par de calcetines

¿Qué nos ponemos en la cabeza y alrededor del cuello cuando hace frío?

¿Con qué nos protegemos las manos del frío?

a woolly hat
un gorro de lana

scarf
una bufanda

a balaclava hood

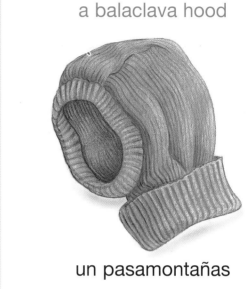

un pasamontañas

gloves   mittens

guantes   **manoplas**

a pair of tights

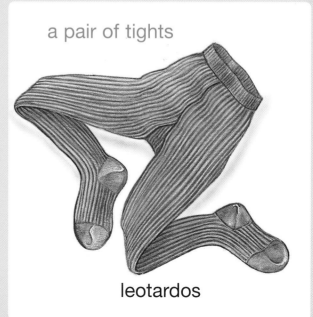

leotardos

¿Qué nos ponemos en los pies para estar por casa?

¿Qué se recomienda llevar en los pies cuando llueve?

running shoes

zapatillas de deporte

wellingtons

botas de agua

slippers

zapatillas

shoes

zapatos

¿Qué nos ponemos para sujetar los pantalones?

¿Qué usamos para la nariz si estamos resfriados?

a cap

una gorra de visera

tissues

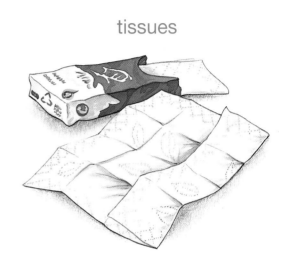

pañuelos de papel

braces

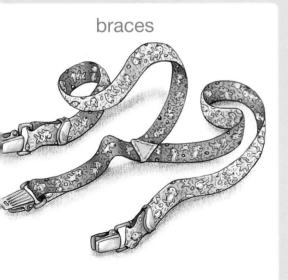

tirantes

a belt

un cinturón

73

En el parque

Vamos a divertirnos buscando el mayor número de cosas posible.

¿Qué joya llevan las mujeres alrededor del cuello?

¿Qué se lleva en la muñeca y nos indica la hora?

a necklace
un collar

earrings

pendientes

rings
anillos

a wedding rir

una alianza

bracelets

pulseras

a watch

un reloj

¿Qué utilizamos para escuchar música mientras paseamos?

¿En qué aparato se pone la casete para escuchar música?

a compact disk

un disco compacto

a hi-fi stereo

una cadena musical

a walkman

un lector de CD

a radio cassette player

un radiocasete

¿Con qué aparato se filma todo tipo de cosas?

¿Con qué se hacen las fotos?

a video camera

una cámara de vídeo

a camera

una cámara fotográfica

a videocassette recorder

un vídeo

a computer

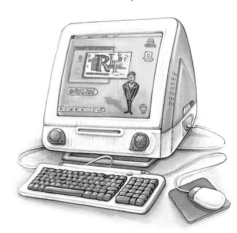

un ordenador

¿Con qué aparato jugamos en la pantalla del televisor? ¿Con qué nos metemos en el agua si no sabemos nadar?

a game console

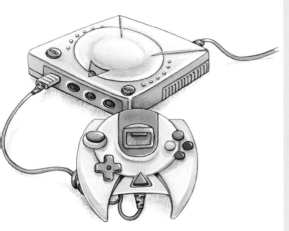

una consola de juegos

a parasol

una sombrilla

a television set

un televisor

a rubber ring

un flotador

¿Qué sirve para deslizarse por la nieve?

¿Qué cogemos para llegar a la cima de la montaña?

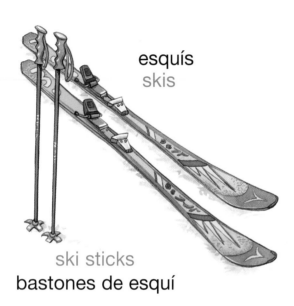

esquís
skis

ski sticks
bastones de esquí

a snowboard

una plancha de snowboard

a sledge

un trineo

a cable ca

un teleférico

¿Con qué se juega
al tenis?

¿Con qué se pescan
los peces de río?

palas de ping-pong
ping-pong bats

a tent

**una pelota
de ping-pong**
a ping-pong ball

una tienda de campaña

a tennis ball
**una pelota
de tenis**

a fishing rod

a tennis racket
una raqueta de tenis

una caña de pescar

¿Con qué navegamos gracias a la fuerza del viento?

¿Qué embarcaciones llevan remos?

a surfboard

una tabla de windsurf

a rubber dinghy

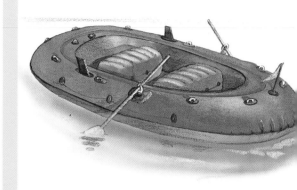

un bote neumático

a sailing boat

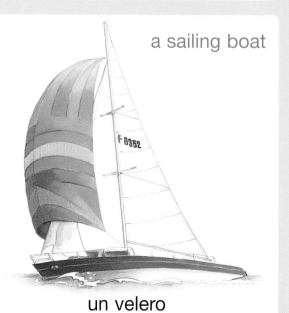

un velero

a rowing boat

oars
remos

una barca

¿Con qué podemos volar como los pájaros?

¿Qué utilizamos para mirar objetos lejanos?

a backpack

una mochila

a parachute

un paracaídas

a hang glider

un ala delta

binoculars

prismáticos

¿Cuál es el instrumento con láminas metálicas que se toca con baquetas?

¿Qué instrumento de teclado tiene las teclas blancas y negras?

a violin

a bow

un arco   un violín

an electric organ

un órgano electrónico

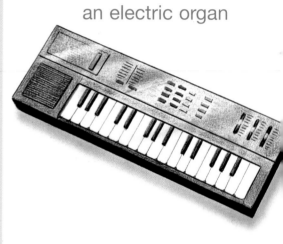

a guitar

una guitarra

a xylophone

un xilófono

¿Qué instrumentos producen música cuando los soplamos?

¿Qué instrumento sirve para remover la tierra del jardín?

a tambourine

una pandereta

a trumpet

una trompeta

a flute

una flauta dulce

a spade

una pala

¿Con qué transportamos la tierra del jardín?

¿Qué máquina se utiliza para cortar la hierba?

a rake

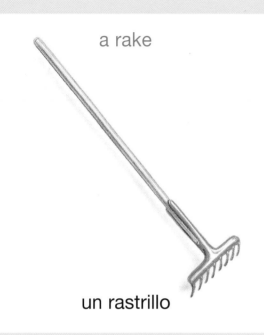

un rastrillo

a lawnmower

un cortacésped

a wheelbarrow

una carretilla

secateurs

tijeras de podar

¿Dónde ponemos el agua para regar las plantas? ¿Qué herramienta sirve para arrancar los clavos?

a watering can

una regadera

a pair of pliers

unos alicates

a hammer

un martillo

pincers

tenazas

¿Qué herramienta nos permite apretar tornillos?

¿Qué máquina eléctrica permite hacer agujeros?

a screwdriver

un destornillador

 un clavo
a nail

un tornillo
a screw

 a nut
una tuerca

a gimlet

una barrena

a drill

un taladro

¿Con qué herramientas podemos cortar madera? ¿Con qué se miden los objetos?

a saw

un serrucho

a measuring tape

una cinta métrica

an axe

un hacha

a level

un nivel

¿Qué utilizamos para coser un botón en un vestido?

¿Con qué cortamos papel hilo o tela?

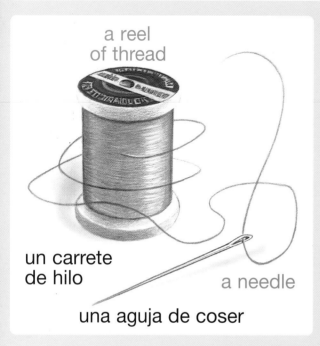

a reel of thread

un carrete de hilo

a needle

una aguja de coser

un imperdible

a safety pin

a button

un botón

a pair of scissors

tijeras

a thimble

un dedal

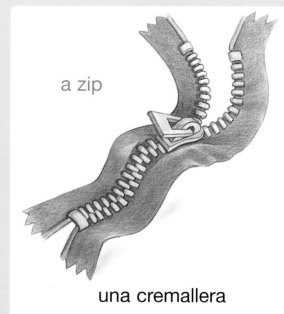

a zip

una cremallera

¿Qué se necesita para hacer un bonito jersey?

¿De qué color está el semáforo?

una madeja de lana

a ball of wool

knitting needles

agujas de hacer punto

a sewing machine

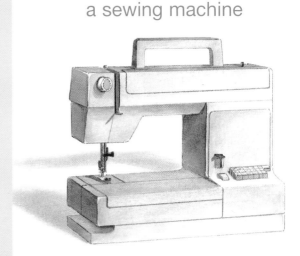

una máquina de coser

tapestry work

un cañamazo

traffic lights

un semáforo

¿Qué vehículo permite transportar a muchas personas a la vez?

¿Qué camión puede transportar gasolina?

a car

un coche

a truck

un camión

a bus

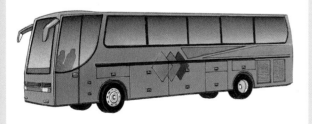

un autocar

a tanker

un camión cisterna

¿Con qué tipo de bicicleta podemos pasear por el bosque?

¿Qué nos protege la cabeza cuando vamos en moto?

a mountain bike

una bicicleta de montaña

a motor scooter

un ciclomotor

a motorbike

una moto de gran cilindrada

a helmet

un casco

¿Con qué inflamos las ruedas de la bicicleta cuando les falta aire?

¿Con qué se levantan grandes pesos en una obra?

a bicycle pump

una bomba de aire

a crane

una grúa

a tyre

un neumático

a steam shovel

una excavadora

¿Qué máquina utiliza
el agricultor
para segar el trigo?

¿Qué podemos enganchar
detrás del coche cuando
vamos de vacaciones?

a bulldozer

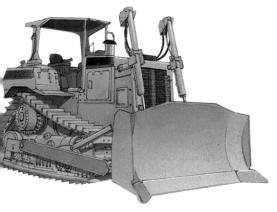

un bulldozer

a caravan

una caravana

a combine harvester

una cosechadora-trilladora

a tractor

un tractor

¿Qué vehículo corre
velozmente
sobre raíles?

¿Qué vehículo vuela
a gran altura y sirve
para transportar pasajeros?

a train

un tren

a helicopter

un helicóptero

a boat

un barco de pasajeros

an airplane

un avión

¿En qué aparato viajan
los hombres
para ir a la Luna?

¿Qué brilla en el cielo
en una noche
despejada?

a rocket

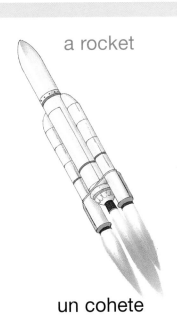

un cohete

the sun

el Sol

a space shuttle

una nave espacial

stars

estrellas

the moon

la Luna

97

Los transportes

Vamos a divertirnos buscando el mayor número de cosas posible.

¿Qué vemos en el cielo cuando sale el sol después de la lluvia?

¿Qué aparece en las ramas de los árboles al llegar la primavera?

a rainbow

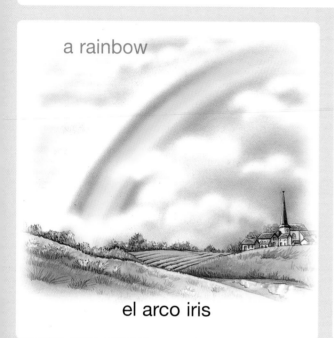

el arco iris

a tree

un árbol

a fire

una hoguera

a branch

leaves

hojas

una rama de árbol

100

¿Qué fruto se oculta dentro de una cáscara con pinchos durante el otoño?

¿Qué tiene nombre de fruto pero no se come?

chestnuts

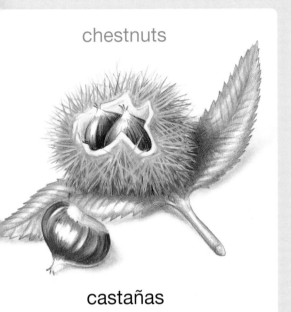

castañas

conkers

castañas silvestres

a pinecone

una piña piñonera

acorns

bellotas

¿Qué se utiliza como adorno en Navidad?

¿De qué color es la flor del narciso?

a rose

una rosa

a cornflower

un aciano

holly

acebo

a daffodil

un narciso

¿Qué flor de color rojo se encuentra en los campos? ¿Con qué flor se juega al «me quiere, no me quiere?»

a poppy

una amapola

a daisy

una margarita

a buttercup

un botón de oro

a tulip

un tulipán

¿Cuáles son las flores
que adornan los balcones? ¿Qué flor es la primera
que aparece en primavera?

a petunia

una petunia

a geranium

un geranio

a primrose

una primavera

a carnation

un clavel

¿De qué color es la flor del pensamiento?

¿Qué flor solemos encontrar en el césped?

an anemone

una anémona

a nasturtium

una capuchina

a pansy

un pensamiento

daisies

mayas

¿Cuál es la flor de la buena suerte y se regala el 1 de mayo?

¿Qué flor de color amarillo florece en invierno?

violets

violetas

a branch of mimosa

una rama de mimosa

a lily of the valley

un lirio de los valles

a hyacinth

un jacinto

¿Qué planta es verde, tiene pinchos y necesita poca agua?

¿Qué pájaro hablador suele ponerse en un palo?

an iris

un iris

a thistle

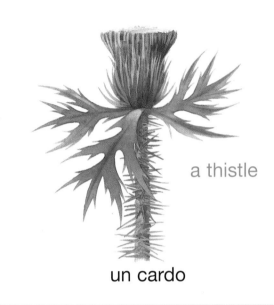

un cardo

a cactus

un cactus

a parrot

un loro

¿Qué pájaro canta
al salir el sol?

¿Qué pájaro suele hacer
su nido bajo un alero?

a crow

a sparrow

un cuervo

un gorrión

a blackbird

a swallow

un mirlo

una golondrina

¿De qué pájaro se dice que es muy charlatán?

¿Qué pájaro luce un bello plumaje rojo en el pecho?

a magpie

una urraca

a robin

un petirrojo

a seagull

una gaviota

a pigeon

una paloma

¿Qué pájaro duerme de día y se despierta de noche?

¿Qué animal se desplaza arrastrándose por el suelo?

an eagle

un águila

a crocodile

un cocodrilo

an owl

un búho

a snake

una serpiente

¿Qué diferencia hay entre un camello y un dromedario?

¿A qué animal le encanta comer miel y peces?

a camel

un camello

a bear

un oso

a panda

un oso panda

a dromedary

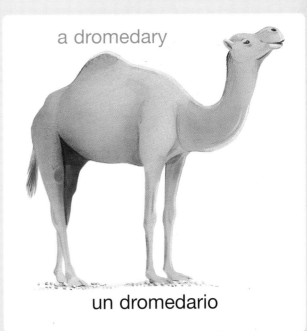

un dromedario

¿Qué animal hace muchas muecas?

¿Qué animales se consideran fieras?

a panther

una pantera

a lion

un león

a tiger

un tigre

a monkey

un mono

¿Qué animal tiene
un cuello muy largo?

¿Qué animal tiene dos
grandes colmillos blancos?

a giraffe

una jirafa

an elephant

un elefante

a hippopotamus

un hipopótamo

a rhinoceros

un rinoceronte

¿Qué animal tiene una bolsa en el vientre para transportar a su cría?

¿Qué animal parece un caballo con un pijama a rayas?

a kangaroo

un canguro

a gazelle

una gacela

a zebra

una cebra

an ostrich

un avestruz

¿Qué pájaro de color blanco y negro no puede volar y utiliza sus alas para nadar?

¿Qué animal marino es más grande y pesado que un camión?

a penguin

un pingüino

a whale

una ballena

a dolphin

un delfín

a seal

una foca

¿Qué animales con pinzas se desplazan por el fondo del mar?

¿Qué podemos pescar con una red a la orilla del mar?

a lobster

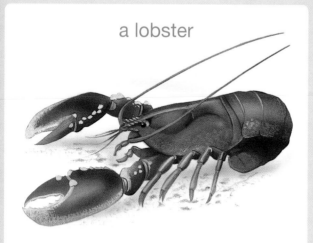

un bogavante

a shrimp

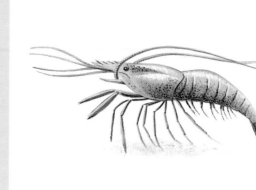

una gamba

a crab

un cangrejo

a swan

un cisne

¿Qué pájaro de gran tamaño hace su nido en lo alto de las torres?

¿Qué animal de cola plana construye diques en los ríos?

a stork

una cigüeña

a beaver

un castor

a frog

una rana

a guinea pig

una cobaya (conejillo de Indias)

¿A qué pequeño animal le encanta roer queso?

¿Qué animal lleva una concha en la espalda?

a mouse

un ratón

a snail

un caracol

a slug

una babosa

a turtle

una tortuga

¿A qué animal le encanta calentarse al sol?

¿Qué insecto es conocido como «cuenta dedos»?

an earthworm

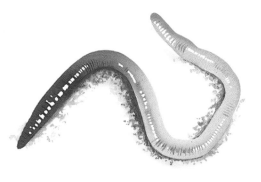

una lombriz

a grasshopper

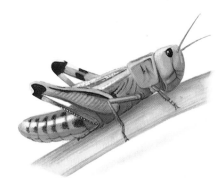

un saltamontes

a lizard

un lagarto

a ladybird

una mariquita

¿Qué animal era una oruga antes de aprender a volar?

¿Qué insecto zumba al volar y suele picarnos?

an ant

una hormiga

a fly

una mosca

a butterfly

una mariposa

a mosquito

un mosquito

¿Qué insecto vive en una colmena y fabrica miel?

¿Qué animal teje una tela para capturar a sus presas?

a wasp

una avispa

a spider

una araña

una colmena

a hive

a bee

una abeja

a dragonfly

una libélula

¿A qué animal le gusta roer avellanas?

¿Qué animal de grandes orejas corre muy deprisa?

a caterpillar

un gusano de seda

a rabbit

un conejo

a hare

una liebre

a squirrel

una ardilla

¿Cómo se llaman los padres del cervatillo?

¿Qué animal se considera el más astuto del bosque?

a lynx

un lince

a doe

una cierva

a fawn

un cervatillo

a stag

un ciervo

a fox

un zorro

¿Qué animal parecido al perro vive en el bosque y hace «auhhh»?

¿Qué animal de gran peso busca bellotas escarbando en el suelo del bosque?

a hedgehog

un erizo

a wolf

un lobo

a wild boar

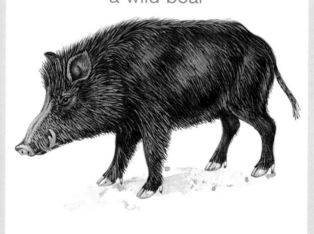

un jabalí

a dog

un perro

¿Qué animal testarudo
puede cargar mucho
peso en el lomo?

¿Qué animales disfrutan
chapoteando en los
estanques?

a cat

un gato

a donkey

un asno

a female duck

a duckling

un patito

una mamá pata

a male duck

un pato

¿Cómo se llama la cría
del gallo y la gallina?

¿Qué animal canta
temprano y nos despierta?

a goose

una oca

a hen

una gallina

a chick

un pollito

a turkey

un pavo

a rooster

un gallo

¿Qué animales dan leche?

¿Qué animal suele estar cubierto de fango?

a goat

una cabra

a cow   una vaca

un ternero   a calf

a pig

un cerdo

a bull

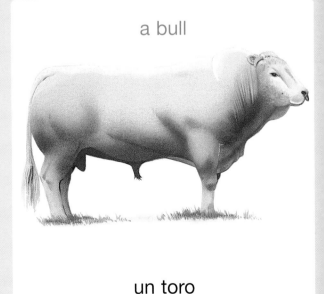

un toro

127

¿Gracias a qué animales podemos abrigarnos con buenos jerséis de lana?

ovinos
sheep

un carnero
a ram

a lamb

una oveja

un corderito

a ewe

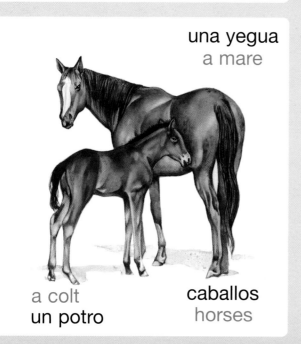

una yegua
a mare

a colt
un potro

caballos
horses

CLASIFICACIÓN POR TEMAS

TEMAS ILUSTRADOS

LISTA ALFABÉTICA